감성한조각,

Drawing Book

Drawing and calligraphy of happy daily life.

INTRO

작가 김미선

따뜻한 햇살이 비추는 창가 앞,
폭신폭신한 의자에 앉아,
모락모락 피어나는 따뜻한 블랙커피를 손에들고
소소한 일상의 행복과 감성을
가득 담은 작은 조각.

취미가 감성이 되고, 감성이 일상이 되는 삶을 기록합니다.

너를 응원해 그래서 좋아

©gridabook

달달하고
달콤하고
시원하고
기분까지 좋아져.

비가오는날에 그리운
사람이 생각나

Monstera

MYEYESARE

Unicorn

©gridabook

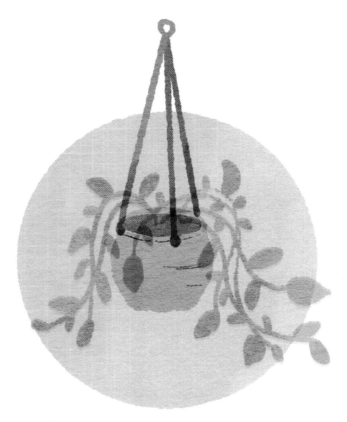

오늘 하루의 기억속에.

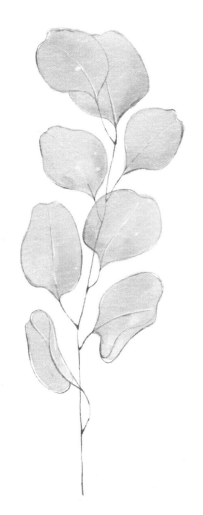

나를 깨우는
작은 울림.
새로운 일상이
시작되는 소리.

©gridabook

고래처럼 바다를 품다.

Somewhere over the

RAINBOW

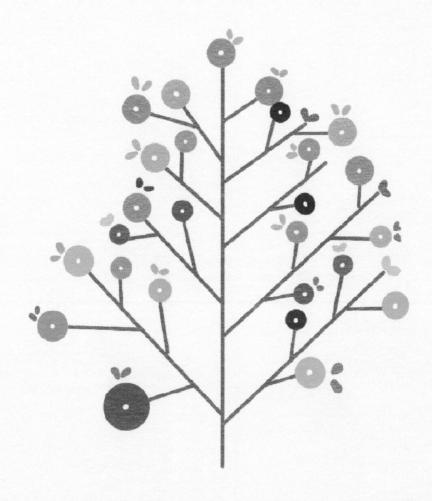

©gridabook

FLOWER

Blooming spread joy and beauty

OUTRO

발 행 | 2023.6

저 자 | 김미선

펴낸곳 | 그리다북 그리다붓

출판사등록 | 2023.1.31 (제2023-6호)

주 소 | 서울시 강동구 아리수로427 중앙프라자 802

메 일 | kk2pro0523@naver.com

인스타그램 | gridabook

강의 & 협업문의 | 010.7929.7458

grida